CONTENTS

● CONTENTS ●

5점차!!
10점 이상이었던 점수차가 어느새 5점이야!!
북산
1:30
해남대부속
40
1ST
45
저 11번 굉장해!!
#113 UNSTOPPABLE

나이스, 서태웅!!
서·태·웅♡
이길 수 있어!!
서·태·웅♡

태웅아, 네가 우리편이어서 정말 다행이다…!!
잘난척 하지마!
치수가 없을 때 이렇게까지 의지할 수 있는 녀석이 있으리라곤 예전엔 상상도 못했어…!!

채치수 원맨팀이라고 불려졌을 때 말이야….
흥!!
헉
젠장!!
쳇!
헉
헉

앞으로
5점!!
하아
하아

질 수 없다!!

와
정말 굉장하다…!!
와
와
저 사람이 정말 작년까지 우리 신라중학에 있었단 말예요? 선배!!
그렇다니까!!

작년까지 우리와 같은 유니폼을 입고 플레이를 했지!!
지금처럼 묵묵히 저 강인한 플레이로 우릴 이끌어줬어…!!
냉정한 면이 있어 좀 접근하기가 어려웠지만….
……!!
와지익
와

와 와
서태웅 선배님, 파이팅!!
앞으로 5점 입니다!!
파이팅!!

나… 신라중에 들어오길 정말 잘했어…!!

오와
북 산
해남대부속
1ST
40
47
전반 라스트 1분!!
오와

힘내라, 북산!!
밀어 붙여라, 북산!!

탁
악
!!
우와
와앗! 서태웅 이다!!
서태웅!!
서태웅 오빠!!
우와
공장해!! 태웅이가 볼을 잡았을 뿐인데 이렇게 환호성을…!!
마치 능남의 윤대협 같아!!
와아
아

서태웅 선배님 GO!!
선배님!!
시끄럿—!!
서·태·웅♡
서·태·웅♡
서태웅!!
뭐야, 이 시끄러운 응원은…!!
SHOHOKU
11

와
아
아
응?!
아

와
아
엄청난 함성이군.
북산이 상당히 선전하고 있나본데?!
아

아
간단히 무릎을 꿇을 녀석들이 아냐. 북산 녀석들은….

그래….

……

역시 난 돌아가겠어.
와
아
수겸아.
아
보고 가지 않을 거야? 해남 –북산전.

……

……

보고 싶지 않아….
해남의 승리도… 패배도….

와
수겸아….
아
아
와

!!
우와!!
빠졌다!!
막아라, 고민구!!

우웃!!

!!

우와아아아ㅡ앗!!!

!!

와아아아아아아
너무 엄청나!!
굉장하다 ―!!
굉…
!
굉장해…!
꿀꺽…

1학년치곤 대단한 녀석이라고 생각하고 있었지만….
이 정도라곤…!!
헉
헉
헉

평소엔 엄청나게 건방지고, 주는 것 없이 밉고, 무뚝뚝하고 사교성도 없고, 말도 없는 녀석이지만….
헉
헉
하지만 이 녀석 굉장해…!! 해남을 능히 누를만한 녀석이야!!
헉

와아아아
잘했어,
정말 잘했어.
태웅아!!
탁
빌어먹을
-!!
어떻게
된 거야?!
조금만 더
힘내자!!
……

서태웅…!!

와
잘한다,
북산!!
북산
해남
힘내라,
북산!!
와
와

다
닥
!!
와
아니!!
와
3점슛?!
와
와
설마….
와

우와아아아
3점이다ー!!!
아…
아…!
이럴 수가!!
지금 저 녀석은
무얼 해도 다
통할 거야!!
아무도
막을 수
없겠어!!
도대체
어떻게
된 거냐, 너!!
이
건방진
녀석!!
작전
타임ー
해남!!

저 녀석은
이번에 중학교를
막 졸업한 녀석이야!
지금 뭐하는 거냐?!

녀석은
보통 1 학년과는
달라요!!
!!

그게
서태웅이에요!!

뭐?!
……

……

빌어먹을…
빌어먹을…!!
빌어먹을…!!

와
조금 전에 말한 건 취소다….
예?
서태웅 말야.
와
서태웅의 플레이는 자기 중심적이라든가 하는 수준이 아냐.
산
해남대부속
시작합니다!!
삐—
와아아아
그는 이미 게임을 지배하고 있다!!

넝 멋져♡
부들
부들
소연아…
부들
부들
SHOHOKU
10

#114 RULE THE GAME

45 대 47 ?!
북산이 꽤 선전하는데!!
와아
능남이다!!
어슬렁 어슬렁
해남을 상대로 잘 따라붙고 있잖아!!
능남이 왔다!!
무림 상대로 100점 넘게 뽑았다던데!
북산
39
해남대
45
1ST
채치수가 없잖아…?!
아아아아

엄청난 파워군,
북산!!
1골차라니!!

삐―익
시작합니다!!
와아아아
성현준!
장권혁!!
이게 어떻게
된 거지?!

서태웅을
잘 봐!!

아
아
서태웅이야.
현준아…!!
뭐?

와아아아아
자,
전반 라스트
39초!!
지금
아주 중요한
순간이야!!

파
앙
!!

이정환의
커트인!!
와아아
빨라!!
常勝
아

와—!
북 산
23
해남대부속
1ST
45
49
4점차다!!
와—!
어떠냐!!
해남이 단 한 명의
1학년 애송이에게
당할까 보냐!!
……
역시 중요한
순간은 놓치지
않는군!!
굉장해!
와—!
단 한 명의….
서태웅인가…?
와—!
라스트
20초!!
전반 마지막
공격이야!
이걸 넣어
어떡하든
1골차로
끝낼 수
있으면…!!
20
와아아아

막아라!!
오오!!

으윽!!
KAINAN
10

우와아 — 엄청난 디펜스다!!
해남은 한골을 더 넣을 생각인 거야!!
우와아아
우와앗!!
탁
!!
패스해!! 패스로 연결해!!

아얏!!
훗!!
강백호!!
웃샤!!

막아라!!
으윽!! 이 녀석들, 뭐하는 거야!!

피봇을 해!!
주위를 잘 봐! 백호야!!
보이지 않아—!!
크윽! 지금 그럴 상황이 아냐—!!

좋았어! 잘한다, 나이스 디펜스!!
6…
7…

아아! 이러다 ※10초가 지나버리겠어!!
우오옷- 뭔가 좀 해봐, 강백호!!
으으윽-
이 녀석들이!!

욱!
와악!!

※ 10초룰 : 10초 이내에 볼을 프런트 코트에 가져가지 않으면 안된다.

…라도 할 수 있음~!!
헉
헉
헉

잘한다, 나이스 디펜스!!
빨리 뺏어!!

8…

!!

멍청이~…

윽…!
안되겠어.
빼앗기겠어!!

멍청이~…
멍청이~…
패스해!!
멍청이—!!
서태웅!!
?!

이얍!!
약!!
와아아아
서태웅이다!!
?
자기 웬
란이지?!
서태웅에게
볼이 간
것만으로
이런 환호가
…
오늘
당당했나
보군…!

잘했어!!
10….
좋아! 가라, 서태웅―!!

정환이형,
부탁해요!!
막아라,
정환아!!
이긴다!!
반드시
이길테다!!
오너라,
서태웅!!

10
!!!!
아니?!
SE

이건 또 뭐이여—!!

우와아아앗!!!
와
와
와
#115 북산의 에이스

와아
지금 어떻게 한 거야!!!!!

와아
꺄악—
꺄악—
꺄아아—!
아마 1m는 뛰어 올랐을 거야!!
더블 클러치를 하고 덩크를?!
저 녀석은 고교생이 아냐!!

이럴 수가!! 믿을 수가 없어!!!
이… 이…
IKEGAMI
AIDA

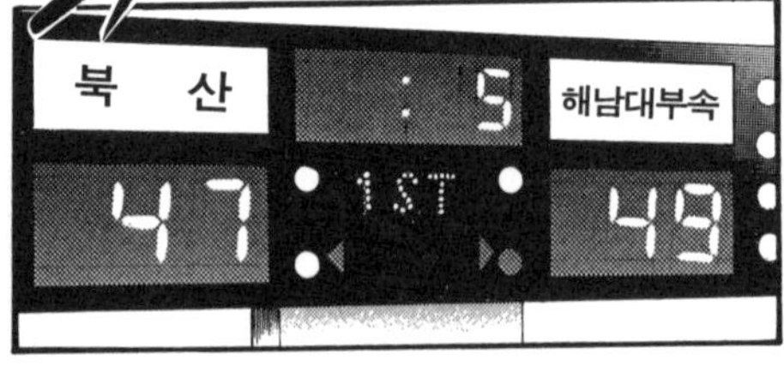
북 산
: 5
해남대부속
47
1ST
49

정말 장래가 두려워지는 녀석이다.
현재 고교생 중에서 저런 플레이를 할 수 있는 건 아마 서태웅 한 명이겠지….

으…
부들부들
부들부들

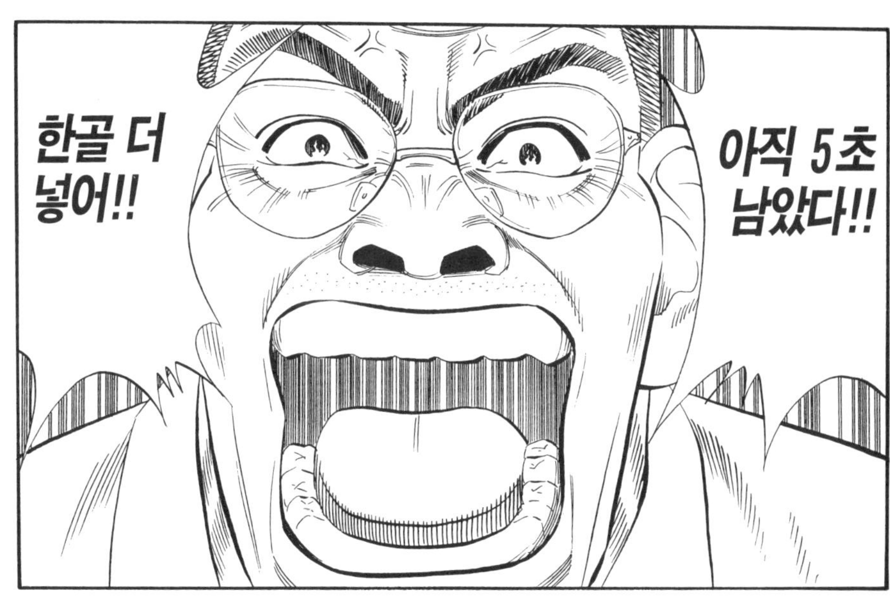

남진모
그는 리드하고
있을 땐
온화한 성품이지만
추격을 당하면
갑자기 기분이
나빠지는 버릇이
있다.

!!

앗!!

우왁!!

아아—!!
SHOHOKU

들어갔다―!!!

동점!!!
동점이다―!!!
북산
해남대부
2
49
1ST

따라잡았어!!
뭣들 하고 있는 거야!!!
아!
빌어먹을 ―!!

오──!!
전반 종료 ─ !!!
결국 서태웅 혼자서 따라잡았어!!
서태웅!!!
와아아아아
서태웅!!!

!!
하아
하아
하아
와—
와—

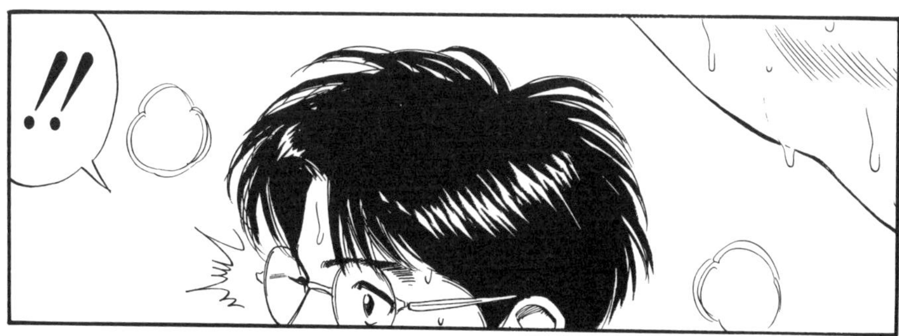
!!

!!
치수 선배!!
치수야!!

따라잡았구나
…!!

왁
!!
왁
왁
왁
와
와
함성
철썩
철썩
뭐가
큰 기둥이냐?!
멍청이!
고릴라!!
북산의 큰 기둥
강백호의
활약으로
드디어 동점!!
아냐,
하지만 정말
잘 해주었어.
백호가!!

치수야!
후반은
뛸 수 있겠어?
헉
헉

맡겨둬.

SHOHOKU
……

좋아! 할 수 있어!!
우와아
아아
와아아!!
이길 수 있어!!
후반에서 승부다!!

……

서태웅….

탁
헉
헉
헉
악

하프타임
웅성
웅성
북 산
9:32
해남대부속
49
49
웅성
웅성

나이스, 태웅아!
예!
헉
헉

북산은 전반을 최고의 분위기로 끝냈어.
웅성
서태웅 선수, 정말 대단해요.
웅성
웅성

채치수도 돌아왔고….

콰
앙
해남대부속고교
대기실.

전반에만
25점 빼앗겼다!!
서태웅 혼자서
25점이야!!
너희들
그 1학년
애송이에게
몇점이나 줄
생각이냐?!
50점을
줄 셈이냐?!

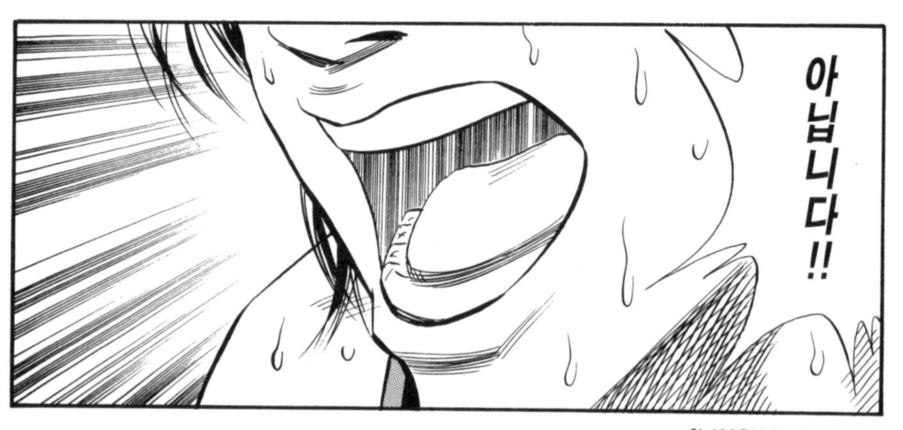
아닙니다!!

감독님…
후반엔 절
수비에만
전념하게
해주세요
서태웅을 막는데 힘을 전부 쏟아붓고 싶어요!!
뭐?!

인정하고 싶진 않지만 그 녀석이 지금 북산의 에이스예요.
녀석을 막으면 북산의 득점력은 반감됩니다!

할 수 있겠느냐? 전호장, 너 혼자서!!

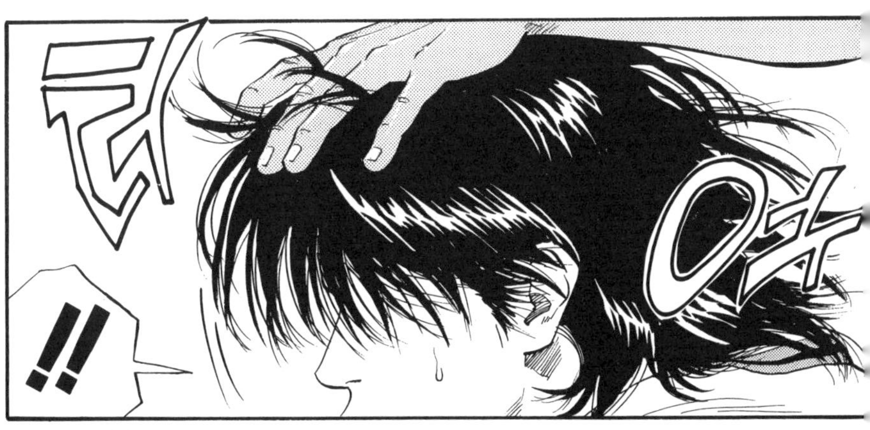
터억
!!

할 수
있어!!
그렇지?

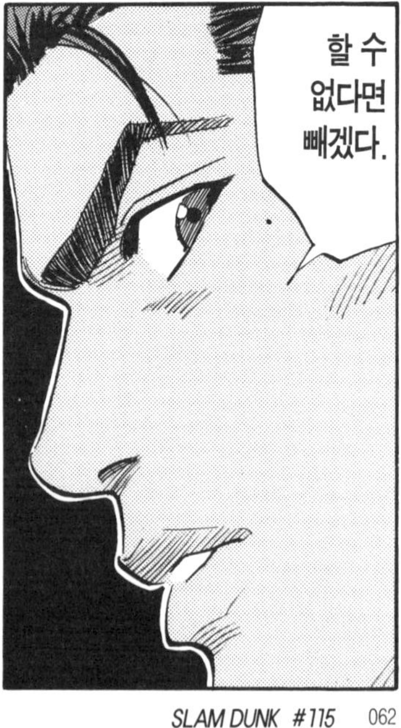
할 수
없다면
빼겠다.

할 수
있어요
!!
반드시
해내
겠어요!!

준섭이도
후반에 뛴다.
몸을 풀어둬!

예….

기다리다 못해 지칠 정도예요…!!

자, 후반이다!!

정말…
기다리다 지쳤다구요…

	해	북	능	무	승-패
해남대 부 속		☆			
북산	☆				
능남				○ 117—64	1—0
무림			● 64—117		0—1

#116 고릴라 IS BACK

와아아아아

북 산
20:00
해남대부속
49
2ND
49

와!
와!
와!
와!
와!
와!

준비
됐나…?

그동안
수없이
말해 왔지만…
지금만큼
절실히
느낀 적은
없었다.

우리들은
강하다!!
그래,
강하다!!

1
2
3
파
이
팅
!!

채치수다!!
채치수가 돌아왔다!!

오!
채치수!!

채치수!!
부상은 괜찮은 건가?!

고릴라 부활이다!!
좋았어—!!

고릴라!!
와 와
고릴라!!
고릴라!!
와 와
고릴라!!
와
와
오빠…!!

간다!!
네에!!
우
르
르
르
이
이
이
잇
잇

와아아아아
그럼, 후반전을 시작 하겠습니다 !!
아

채치수가 돌아옴으로써 북산에게도 이제 승산이 생길지도 몰라!!
게다가 오늘 서태웅이 너무 잘하니까 말이야!!

말도 안돼…!
HOKU

아무리 붕대를 단단히 감아도… 조금 전까진 걸을 수도 없었어.
봐…! 벌써 저렇게 땀을…!!

점프볼!!
예!

부탁한다,
잘 견뎌줘라
…!!
헉
헉

……

시작하기 전부터
저렇게 땀을
흘린다는 건
심상치 않아…
상당히 아프다는
증거야.

저런 상태로
어떻게 플레이를
한다는 거야!
달리거나
뛰어오를 수
있을리가 없잖아!!

막아야 해!
지금이라도
늦지 않았어!!
치수 선배의
장래를
위해서도!!

SHOHOKU
!?

OHOKU
!?

야! 뭐하는 거야? 빨강머리 원숭이!!
자넨, 뭔가?!
시끄럿-! 야생 원숭이!!

교체예요.
점프볼은 내가!!
뭐?!

전반을 뛰지 않은 고릴라에겐 짐이 무거워.
이번엔 이 천재 점퍼 강백호에게 맡겨둬!

뭐…?

강백호…?!
한나양!

치수군의
발목….
무리라고 판단되면
내가 바로
교체할 겁니다.

선생님….

시작합니다!!
척
척
빨리
시작하자구!
꽈악
꽈악

백호야…….
부상당한 오빠를 위해서…?

아냐, 분명히 눈에 띄고 싶었을 거야.
맞아!!
서태웅이 엄청난 활약을 해놨으니!

…………
우습게 보는 거냐…!
강백호…!

으라차!!!
야

우와앗ㅡㅡ!!
!!
하하핫!
봤느냐!!
멍청이!
아무도 없는
곳에…!!
아—앗!!

우와앗!!
!?

!!
전호장--!!
드슈
웅
어떠냐!!

!!
SHOHOKU

고릴라!!
선배!!
오빠!!

크아아아악!!
오옷!!

SLAM
슬램덩크 완전판 프리미엄
DUNK

#117 1년이나 2년 후

와아아아아
결국 채치수가 성공시켰다!!
역시 강해!!
존재감이 틀려!!
와—
고릴라!!
SHOHOKU
10
그래!!
와—

선배
……
HOHOK

으윽….
정말 대단한
녀석이다.
채치수!!
와
와
부상의 영향을
전혀 받지 않는
건가!!

오빠!!
역시
믿음직한
고릴라!!
고릴라
이렇게 되면,
고릴라를 위한
응원가를
만들어야겠어!!

고릴고릴
고~
릴~
고오릴라
─♪
오오!

이렇게
음정을
맞춰서….
으잉?

◉ 결승리그 승패표 ◉

	해	북	능	무
해남대부속	╲			
북 산		╲		
능 남			╲	○ 117-64
무 림			× 64-117	╲

와
와
와
어쨌든
이제 북산이
2점 리드하게
됐다!!
이번 시합
처음으로
북산이 리드를
빼앗았어!!

발은
이제 아프지
않은 거지,
고릴라?!
SHOHOKU
4
SHOHOKU
10

SHOHOKU

응…?

!!
…아프지
않아….

아픈가
본데….

선배….

자, 앞으로
20분이다!!
마지막에 웃기
위해 죽을 힘을
다해 플레이 해라!
모두들!!
좋아!!

와
와
……!!

헉
헉
20분 후엔 쓰러져도, 걸을 수 없게 되어도 좋아…!!
헉
지금 이 20분 동안만 잘 견뎌줘라!!

간신히 잡은 찬스를 절대 놓치고 싶지 않아!!
학
학
학

치수야…!!

덜컹
덜컹
덜컹
덜컹

크윽….

치수야….

아아, 북산은 왜 이렇게 재수가 없지?
1회전부터 율도공고라니!
올해는 그 녀석들 잘하면 16강 정도는 하겠던데!
웅성
웅성
웅성
웅성

어쨌거나 우리들도 할만큼 했어.
대견투한 거지, 뭐…!

덜컹
덜컹
덜컹
덜컹
더블 스코어의 어디가 대건투라는 겁니까?!

허억
허억
골밑으로 온다!!
알았어! 내게 맡겨!!
찌익

윽…!!

채치수와 승부해라!!
상대는 부상자야!!

……
안 돼—!!

아앗! 저런 멍청이, 뭐하는 거야!!
도망치면 어떡해!!

채치수…!
이정환―
좋았어―!!

와
굉장해!!
결승리그 정도
되면 수준이
이렇게 다르구나!
와
상상을
초월하는
세계야!!
와
흥…!!
와

나도 조금만 더
경험을 쌓으면
저 정도는…!

너희들,
몇학년이지?
옛?
1학년인데요
….

상양의 가드도
학년이다.
예?!

!!

와아
좋아!
달려라,
김수겸!!
와아

그리고
해남의 12번도
너희들
동급생이지
예엣?!
정말이에요
?!
!!
이정환!!
와앗!!
!!
속공
ㅡ!!

저 아이들은 도내의 최강팀인 해남과 상양에서도 '경이의 신인'이라고 불려지는 김수겸과 이정환!!
와 와
지금은 이정환이 조금 위인 듯도 하지만….
와
으로
리 지역은
들 두 사람의
대가 될 거야…!!

김수겸…

이정환…!!

으랏차―!!
와아아아
海南大
SHOYO
7
나이스, 이정환!!

그런데
너희들은
어느 학교지?
저…
북산고
예요.

뭐?
박산?
북산-!!
복산?

……
우욱!!

제 얼굴을
잘 기억해둬요
이이이…
1년이나
2년 후….
반드시
저 녀석들을
쓰러뜨리러
올테니까요!!

빌어먹을!
언젠가는
쓰러뜨리고
말겠어.
너희들을…!!

더
연습해!!
개인연습을
하지 않으면
실력이
향상되지 않아!!

!!

훅!
훅!

자, 다시
한번 하죠!!
미안하지만
오늘은
여기까지야.

전국대회
결승은
어떤 기분일까?
상상도
못하겠어….
퇴부서
년 6 반
신 정
치수
너완 맞지
않아….
한심하군.
벌써 녹초가
됐단 말야!!
치수야,
난 단지
즐겁게
농구하고
싶었어….
……
쳇
!!
이기고 싶지
않단 말야!!

디펜스
!!
디펜스
하나 더!!
해남대부속
2ND
51
49
……………

힘내라!!
치수야!!

후웃!!
SHOHOKU
!!

—!!
우와아—
굉장해!!
저 녀석,
정말
부상당한
거야?!
와아아아아
핫핫핫핫
이 천재의
발목을 잡을
걱정은 없는 것
같군. 고릴라!!
후!!
바보
녀석!!

자아!
오너라,
이정환!!

가
의 플레이어를
경하게 된 건
음이다…!!

#118 양웅
KAINAN

전력으로
너희들을
쓰러뜨리겠다…!!

!!

온다—!!

송태섭은
과거 경험해 보지 못한
피로감을 느꼈다.
전반 20분간
초고교급이라 평가받는,
자기보다 16cm나
큰 이정환을 마크해
왔기 때문이었다.
그런 의미에서
전반전의
숨은 수훈자는
바로 그였다.

그러나…
전반을 마치고
그는 한가지
가슴 속에
불안을 느꼈다.

SHOHOKU
SHOHOKU
'이정환은 아직
진짜 실력을
보이지 않은 게
아닐까…?!'

온다!!

휘익
!!

당했다ㅡ!!
이정환!!

KAINAN
4
7

삐—익
!!

와아아아
우와아아
— 앗!!
아아
※바스켓
카운트!!
원 프리스로!

※ 바스켓 카운트 : 파울을 당했음에도 슛이 들어갔을 경우,
그 득점은 인정되고 프리스로 하나가 주어진다.

북산 제일의
스피드를
자랑하는
송태섭을
제치고,
와아아아아
북산 제일의
파워를
자랑하는
채치수와
맞부딪쳐 슛을
성공시켰어…!!

하아
하아
하아

하아
하아
하아
하아
하아

저것이
이정환의
플레이다…!!

적극적이고 과감한
커트인과 누구에게도
지지 않는 파워
플레이로 파울을 얻어내
3점을 얻어낸다.
겸이와 이정환의
정적인 차이는
로 그 파워야!!

도내
넘버원 플레이어
이정환!
드디어 실력
발휘인가…?!

와아
좋아, 좋았어!
잘했다, 정환아!!
와아아아아
해남이 다시 리드다!!
와아
북 산
18:32
해남대부속
51
2ND
52
와아
저 애늙은이 녀석이…!!
늙은 주제에
지난 일은 잊어!!
이번엔 우리 공격이다!!
와아
치수야
하악! 하악!
하악! 하악!
………

준호군!
네!
언제라도
나갈 수 있게
준비해둬요….
아…
예!!
……!!

서태웅이다!!
와아아아아아아
꺄아ㅡ
서태웅!!
광장한 응원이군!!
저 녀석, 이 시합에서 단번에 유명인이 되었어!!
파
꿀꺽
팟
팟
파앗

와!
와앗! 전호장도 엄청난 박력이야!!
와!

정환이형과 약속을 했다!!
더이상 네맘대로 되지 않을 거다!!

이 녀석….

!
!!
아앗!!

우와아얏!!
또 성공이다-!!

북산도 만만치 않은걸!!
북 산
18:20
52
결코 해남에 뒤지지 않아!!

와—!
함
함
함
함
와—!
좋았어—!!!
와
와—!
재미있군,
채치수…!!
…정신이 육체를
초월하기 시작한
건가…?!
와
와
점점 날
타오르게
하는구나!!

우오오

#119 THE BEST

우와아앗!!

젠장!
송태섭도 확실히 도내
다섯 손가락 안에
들어가는 가드지만….
신장과 파워, 리드십,
경험 등… 모든 면에서
이정환이 앞서고 있어!!

역시 저 녀석이 최고다!!
우와아아아아!

어림
없다!!
..!!

받아라!!

철
썩

SHOHOKU
10
!!!

카운트—!
원 프리스로!!
우와아아앗!!
좋았어!!
과연 이정환!!
이정환!!
이정환!!

달았었는데….
와
와
…….
와
와
헉
헉

그것이
전국의
강호들을
상대로 싸워온
해남의….

상상을
뛰어넘는
보디 컨트롤
능력…!!
그리고
골에 대한
끝없는
집념!!

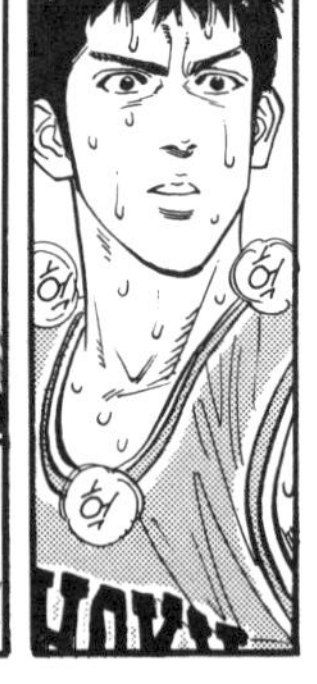
헉
헉

그것은
바로
승리에의
집념…
승리에
대한
굶주림
이다.
헉
헉
헉

헉
헉
헉

이정환의 힘이란 말인가!!

기억해둬라.
저것이 도내 넘버원 플레이어 이정환이다!!
도내 넘버원이라….
……….
정말 멋진 말이야…!!

산
17:5
해남대부
53
2ND
지지 않아!!
간신히 여기까지 왔다!
그래!!
절대 질 수 없어!!
당연하지! 송태섭!!
애늙은이는 내가 쓰러뜨린다!!
너 정말 바보냐?!
분수도 모르고!

!!
욱!!
턴
오버다!!
패스
미스다!!
……
하아!
하아!
하아!
와
상당히
지쳐
있어….
태섭이도….
정대만
선배도
그리고
태웅이도….
와

와아아아아
나이스 슛-!!
이정환의 독무대다-!!
해남대부속 57
북 산 53

……

이정환 전혀 막 못하고 있
어서 손을 쓰지 않으면 북산에게 승산은 없다.

이정환의 마크는 혼자서는 무리야!!
그리고 디펜스를 넓히지 말고 골밑을 강화해야해. 그러지 않으면 집중공격 당하고 말아.

지시가 있었던 것 같은데요…!!
SENDO

SHOHOKU
14
SHOHOKU
7
!!

이야……
더블팁
이다!!

둘로 막을 수
있을까?
!!
제쳐
버렸다
─!!!

!!
SHOHOKU
11
HOKU

!!

숏모션에 들어가기 전의 재빠른 헬프!!
이정환을 잡았어!!

!!

이렇게 나오기를 기다리고 있었다!!

!!!
KAINAN

신준섭!!

우캬ー
우캬캬캬캬!
우오…

3점―!!!
야아아
아
아
아
KAINAN
6
120 SILK
KUBO

KAINAN
6

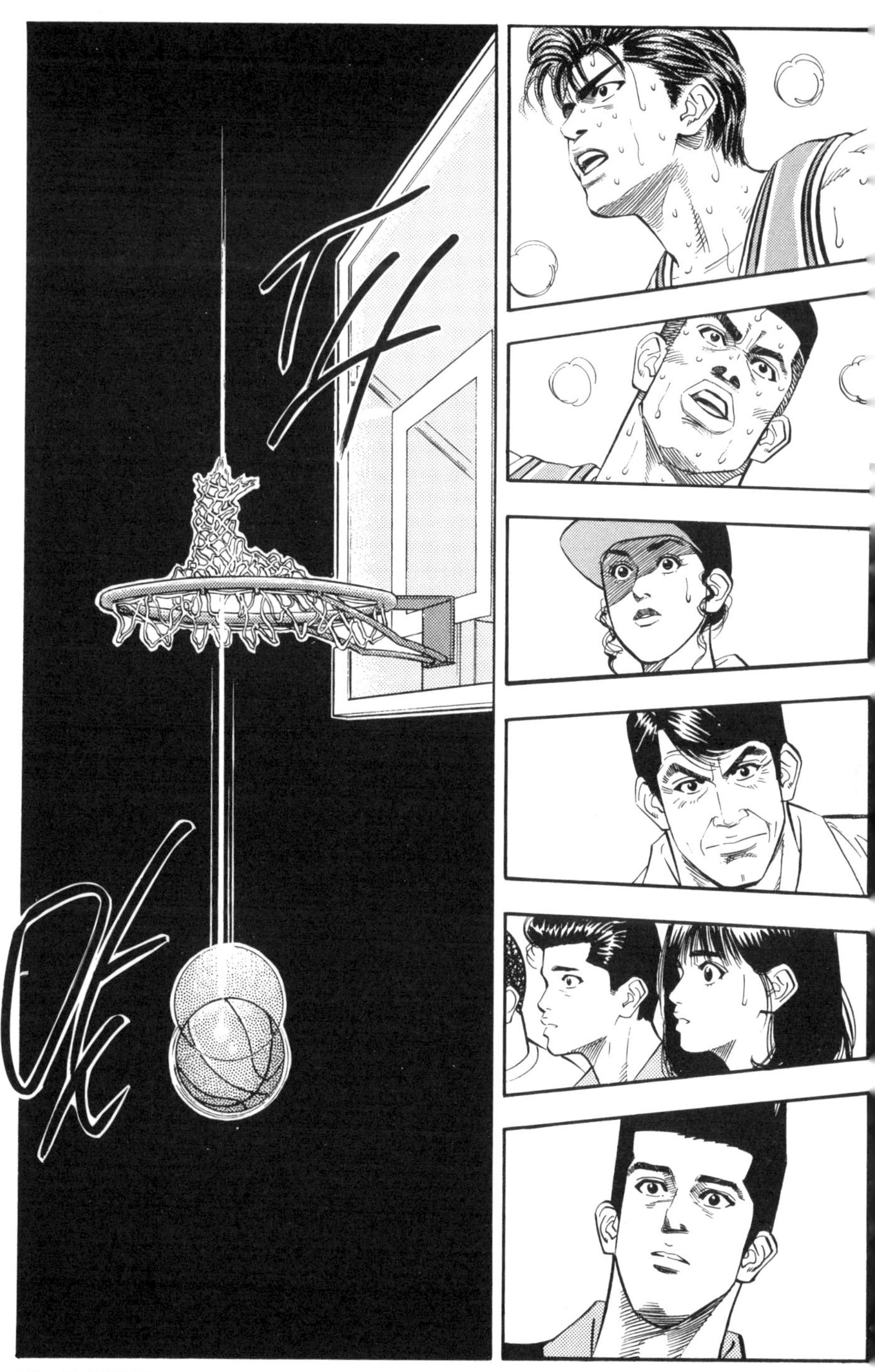

오싹
SHOHOKU
와아아아
아아아앗!!
와
와
와
와
KAINAN
6
또
신준섭
이다!!
와
북 산
14:49
해남대부속
59
2ND
65

좋았어!!

준섭이형,
나이스!!
3점슛의
천재!!

어떻게
저렇게
깨끗하고
부드러운
슛을…
이 치열한
싸움
속에서
저 슛만은
시간이 멈춘 것
같아…!!

소름이 끼칠
정도의
매끈한 슛이야!

휙
대만선배!!
들어가라!!
와아
터로서의
능이라면
대만도
지 않아!!
재능?
!!
터
엉
!!

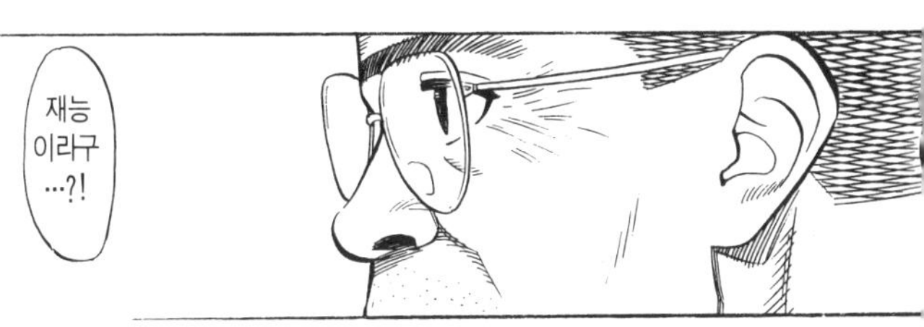

괜찮을까?
이런
비실비실한
애가….

생각했던 대로 연습중에
이정환과 고민구에게
계속해서 나가 떨어지는
신준섭에게
센터는 아무래도
무리라고 말했다….
고교생에게는 충격적인
얘기였을 거다.
특별히 발이 빠른 것도
아니었고 점프력도 보통.
운동능력도 이정환이나
올해 들어온 전호장과는
비교가 되지 않았다.

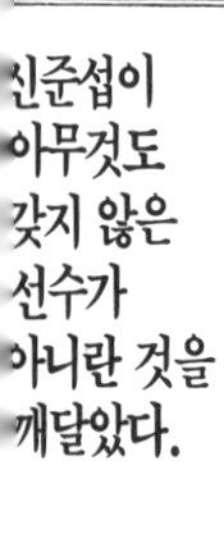

그날부터
연습이 끝난 후,
혼자 남아 묵묵히
아웃사이드 슛을
연습하는 신준섭을
보고
신준섭이
아무것도
갖지 않은
선수가
아니란 것을
깨달았다.

?
분하지
않은
걸까?
그렇지 않았다.

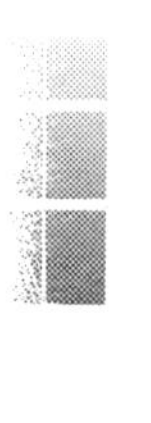
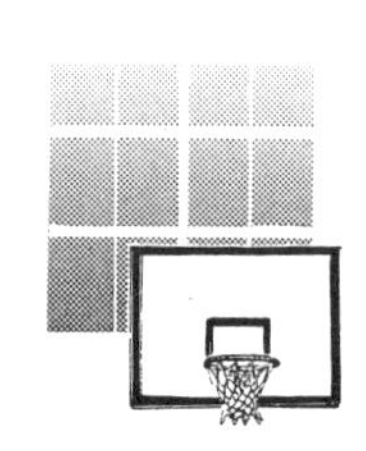

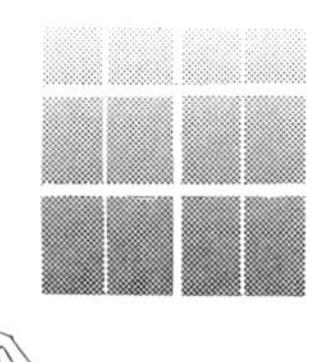
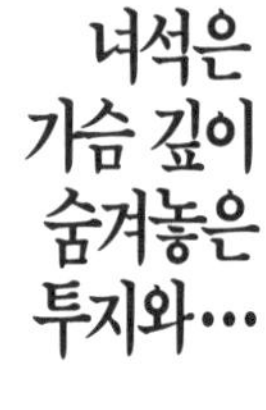
녀석은
가슴 깊이
숨겨놓은
투지와…
깨끗한
슛폼을
갖고
있었다.

속공!!
하아!
하아!
하아!
하아!
이정환
인가?!
신준섭
인가?!

슈터에게는
확실히 재능이
필요하다….
중학
MVP를 따낸
정대만에겐
그 재능이
있을지도
모르지….

하지만
진정한 슈터는
연습에 의해서만
만들어진다!!
끝없는
반복 연습만이
슛의 성공률을
높일 수 있다!!

으윽!!

신준섭은 그때부터
하루 500개의
슛연습을
거른 적이 없다!!

SWISH!!
우와아아ー! 믿을 수 없어!!
또 들어갔다ー!!

안에선 이정환!!
밖에선 신준섭!!
어떻게 해야 막을 수 있을까?! 이 최강 콤비를!!

북 산
10:11
해남대부속
63
2ND
73
서태웅이 그렇게 힘들게 따라잡은 점수를 저렇게 간단히 벌려놓다니!!
하아!!
하아!
하아!
빌어먹을…!!

강하다…!!
정말 강하다!!

해남은 다른 어떤 팀보다도 많은 연습을 하는 팀이다!!
그리고 그 중에서 스타팅 멤버를 따낸 선수들은 그야말로 피나는 노력을 반복해 왔다!!

자, 라스트 10분!!
절대 방심하지 마라!!

네엣!!
예!!

해남에
천재는 없다.
하지만
해남은
최강이다!!
海南 附屬高等 校籠球部

!!

헉
헉
!
헉
헉
헉
헉
헉
헉
헉

삐삑
작전타임 –
북산!!

안선생님도
이쯤에서
타임을
부르지 않을 수
없지.
하지만
북산은 이미
오버 페이스다.
체력이 남아
있지 않아.

북산으로선
아쉽게 됐어….
아뇨….

응?

한 명이 있어요.
아직
힘이 넘치는
녀석이….

조금 이르지만
이젠 어쩔 수
없군요.

승부를
걸겠어요

호오…!
SHOHOKU
10

다리 안 풀어?
호오…

#121 안선생님의 작전

막지 않으면
안되는 것이
4번 이정환의
※ 페네트레이션!
패스를 하든
직접 슛을 쏘든
이정환으로부터
해남의 공격이
시작되기 때문이에요.
치수군!
이 4명이
작은 존을
만듭니다.
헉
헉
헉
헉
태웅군!
대만군!
태섭군!

※드리블로 돌파하든지 하여 인사이드를 침입하는 것.

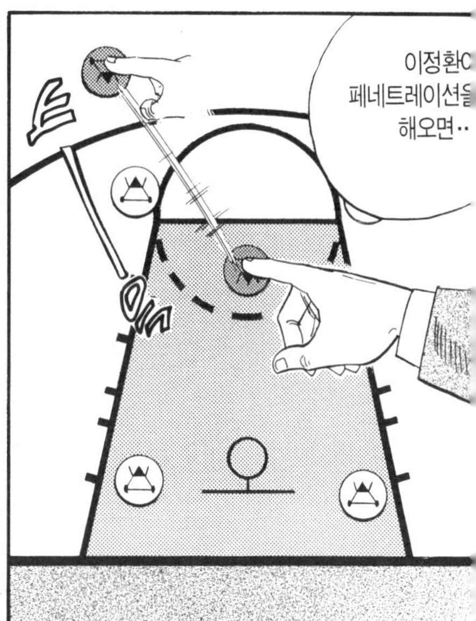
이정환이
페네트레이션을
해오면…
슥
휙

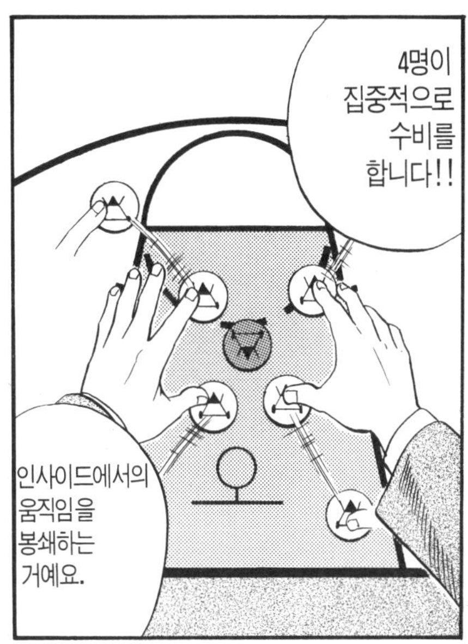
4명이
집중적으로
수비를
합니다!!
인사이드에서의
움직임을
봉쇄하는
거예요.

4명이
집중적
으로…?!
그럼 외곽이
텅 비게
되는걸요.
선생님?!
하
하

음…
그렇군요…
음… 이라뇨…?

……
하

……

그 정도의
가치가
있네….
저
이정환이라는
플레이어는…!

……!!

도내
넘버원이기
때문인가….
애늙은이
…!

10점 차를 지금부터
따라잡기 위해서는
모험을 할 수밖에
없어요.

외곽은
포기!
사령탑인 이정환의
톱니바퀴를 조금이라도
틀어지게 하면,
해남 전체의 리듬도
미묘하게 흐뜨러질
거예요.

이정환을
묵사발로 만들어
버리자!!

하지만
외곽슛이
들어가지
않는다고 해도,
리바운드를
잡지 못하면
의미가 없어!

알겠습니다...!!

스크린
아웃만은
확실히
하자구!!
좋았어!

그리고
백호군!
응?

자네가 없으면 이 작전은 성공할 수 없다네.
SHOHOKU
10

이미 북산에는 새 작전을 쓸 체력이 없다.
석들은 전히 녹초가 있다.

앞으로
10분이다.
산
10:09
해남대부속
63
2ND
73

최후의
일격을
가하고 와라!!
예엣!!

하하하
하하!!
응?

SEN

영감님도 여기까지 와서 비로소 감독다운 면모를 보이는군요!!
아니?!
뭐야?! 백호형이 갑자기 이상해!!
저 녀석은 항상 이상하잖아!
그렇죠-? 영감님!!
하핫핫
토닥 토닥 토닥
그런가?!
그만둬, 이 바보 녀석!
시작합니다!

와아
좋아, 가자!!
마지막까지 포기하면 안돼!!
아
당연하지!!
아
다녀와라!!
해남의 바스켓을 보여주는 거다.
아
네엣!!
아아

아니?!

4명!!

외곽은 비었다!!
이 녀석들,
신준섭의
3점슛 위력을
모르는 건가?!

강백호?!
과연!!
웃!!

안선생님이
승부를
걸었구나!!
우와앗 ─ !
저렇게 찰싹
붙어있으면
신준섭도
괴로울 거야!!
강백호,
멋진
수비다!!
강백호의
※ 페이스 가드로
신준섭의
3 점슛을
막는다!!
4 명의
집중수비로
이정환의
인사이드
공격을 막고
예.
대협아,
네가 말한
것이 바로
저것이냐?!
그렇다고는
해도
정말 엄청나!
저 강백호의
움직임은….
'모 아니면
도' 식의
작전이야!!
이정환과 신준섭,
두 사람 이외의
선수에게는
당해도 어쩔 수
없다는 수비다.
※ 찰싹 달라붙는 것.

이미 시합의
3/ 4이 지났는데도
마치 지금
시작하는 듯한
저 움직임
와
와
저 끝을 모르는
체력은 충분히
위협적이죠.
와

천재…!!

……
쳇….
끈질기군!!

잘한다,
강백호!!
파울하면
안돼!!

역시…!!

역시 마지막엔 나밖에 믿을 사람이 없는 거야….
SHOHOKU

이 천재 강백호!!

차세대 도내 넘버원 사나이, 강 · 백 · 호 밖에는…!!!!
두-둥

다
제쳤다!!
앗!!
와
오오오
당연하지!!
신준섭의
기술이
한 수 위란
말인가!!

!!

강백호의
운동량이
위다!!

파리채
블로킹!!
!!

#122 반격 개시

우와아아
오오—!!
우와앗! 백호형!!
와아아
역시 킹콩 동생이야!!
볼은…?!
다
닥
!!

강백호,
속공!!
……
준섭아!!

빨라!!

잘봐라, 해남!!
시합을 결정짓는 천재의 결정타!!
힘을 빼!!
침착해!!

풋내기 슛-!!!

아앗?!

멍청한 녀석!!
또 초보적인 실수를…!
됐어!!

이런…!!
!!

고릴라!!
아니?!
쿠웅
……

크악!!!

고릴라 덩크
―!!
채치수!!
와아아아아
!!
!!

와!
와!
다리의 통증이
상당할텐데….
와!
와!
저 녀석…
상처입은 다리로
저렇게까지
달리다니…!
정말 너란
녀석은!!
와!
디펜스!!
디펜스!!
힘내자!!
와!
와!
북 산
9:14
해남대부속
65
2ND
73

우웃!!
!!

훅훅! 훅훅!
훅훅! 훅훅!
준섭아!!
우와-! 엄청난 수비다!!

노마크다!!

이건
빗나가기만을
바랄 뿐!
.!!

빗나가라-!!

바램이
이루어
졌어!!
!!

---!!

달려라,
강백호!
벌써
달리고
있어요!!!

!!
북산의
역습이다!!
웃!!

와아아
슈익
이정환이 어느새…!!
벌써 골밑에 와 있다!!
아 아
애늙은이!!
덤벼라!!
뛰어넘어 주겠다!!

처억
도내
넘버원을
뛰어넘어
줄테다.

기다려!!

정환아!!

멈춰!!

백호야!!

가라!
SENDOH

!!
우와아아앗
ー!!!

우와아앗!!!

♯123 굴욕

KAINAN

!!
常
南大附属高

아직
멀었어!!

아아!
!!
강백호!!
!!
크악!!!
백호야!!

백호야!!
!!
!!
SENDOH
쁘
직
당
당
쿵

인텐셔널
파울!!
해남 4번!!
!!

……

이봐, 너!
일부러
그런거지!
비겁하게!!
그만둬,
정대만!!

인텐셔널 파울
얻었으니까
화낼 것 없잖아!!

뭐야
?!

이-얍!!
!!

강백호!!
괜찮냐?!
……
…
처 억
안돼, 백호야.
진정해!
콰콰쾅
두두두
얌마! 너 애늙은이!!
없애버릴테다.
이 천재님의 덩크를 방해하다니…
확실한 슛이 없는데…
우와아아
우옷-! 갈수록 힘이 나는 모양인데!!

와-
와-
와-
프리스로--!!

백호야,
네 차례다!!
알고 있어! 걱정 말라니까!!
이번 인텐셔널 파울은 점수 차를 좁힐 수 있는 찬스다!!
어떻게든 성공하지 않으면…!!
멍청하긴! 정환이는 일부러 파울한 거야!
강백호의 자유투가 들어가지 않을 건 기정사실!!
나이스 파울이다. 이정환…!!
해남대부속
5:24
북 산
2ND
70
78

그래도 강백호를
내던지는 녀석이
고릴라 말고도
있었다니….
웅성
웅성
자기보다
작은 녀석에게
저렇게 당하다니,
처음 맛보는
굴욕일 거야.
농구의 세계는
뭔가 신비한 게
있나봐!
웅성
웅성
워…
어쨌거나….

지금부터의
백호는
상당히
볼만할 거야.

잘 봐둬라,
애늙은이
….

!
KAINAN
4

!!
SHOHOKU
10

와 하 하 하 하 하
와하하하! 뭐야, 저 포즈는?!
강백호가 이상한 짓을 시작했어!!

저건…!!

호오…!!

!?
무슨 속셈으로…?!

괜히 사람들 흉내내 봤자, 들어갈 것 같지도 않아!
그보단 이렇게 던지기 쉬운 포즈로 잘 겨냥해서 던지는 편이 들어갈 것 같은 기분이 들어. 내 경우엔!!

와
와
그렇지도 않다….
와
!?
와
첫, 저 풋내기 녀석이….
나의 좋고를….
시끄러, 야생 원숭이!! 집중이 안되잖아!!
뭐야 그 폼은! 너 계속 장난칠 거냐? 빨강머리 원숭이!
와
과거 저 자세로 프리스로를 던진 선수가 NBA에 있었다!
녀석이 그걸 알고 있는 걸까…?!

Dr.T의 도움이 되는 NBA 역사 강좌

NBA 역사에 남을
위대한 슈터 릭 배리
(Rick Barry).
중년의 NBA 팬이라면
그 이름을 알고 있을
것이다.

'78~ '79 시즌에
94.7%라는 놀라운
자유투 성공률을 남긴
그의 프리스로는
특이하게도 밑에서
두손으로 던지는
자세였다.

언제나
자기 나름대로
필사적으로
생각하면서
하고 있는
거예요….
자기 혼자만
초보자라고 하는
그런 상황 속에서도
어떻게든
뭘 해보려고…
스스로
생각해낸
것이겠지….
백호가 그런 걸
알리가 없어요.
와
와
와
그러니까
빨리
배울 수밖에…!!
와

잘
겨냥해서
….

와아아아
철
써억
우와아-!
또
들어갔다!!
우연이라고
해도
이 두 개는
크다!!

천재에게
우연이란 게
있을 것
같냐?!
멍청이!!
해남대부속
산
5:24
2ND
72
게다가
북산 볼!!
인텐셔널 파울이니까
할 수
있다!!

이길
수
있어!!

또…
그 사이
쉴 수도
있었고!!

강백호!!

아까의
굴욕은
10배로
되갚아 주마!

#124 I PLAY TO WIN

와-
해남대부속
78
와-
와-

와아아아아아
직아직
간은
분해-!!
아직
할 수 있어!!
아
와아아
북
-산!!
응?!
목소리가
작다!!
북
-산!!

라스트
5분!!!
북 산
와
와
72

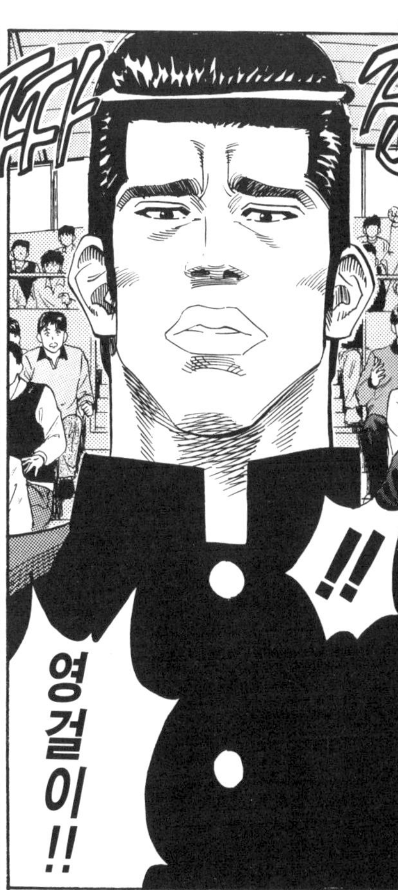
!!
영걸이
!!

너희들
좀더 기합을
넣지 못해!!
우왓!
뭐야?!
오옷,
대장님!
보통 열성이
아닌데!

너희들,
날 잘 봐라!

북ㅡ
산!!

常勝
북산!!
북산!!
북산!!
북산!!

파!!
앙

아니?!
정대만—!
대만아!!
휙
가라—!!

두웅
치잇!!
리바운드!!
우왓!!

윽!!
크악!!
!!
우와앗!!

!!!
!!
강백호!
뒤쪽!!

들어가라!!
철
!!
썩
와
아
성공이다
-!!!
북 산
4:46
해남대부속
74
2ND
78
Se oh

으랏차-!!
척
삐-익
교체입니다!!
응?
!!
좋아! 다녀와라, 익현아!!
네!!

와
와
우주인!
홍익현이다!!
와
또
한 명의 슈터,
홍익현이다!!
익현
선배!!
와
이제
잔재주는
통하지 않아!
난
우리 선수들을
믿을 뿐이다!!
태섭군!!
외곽에 신준섭과
홍익현··
트윈 슈터를
됐어
와
와
하아
하아
헉
헉
!!

휙
아니!!
저건!!
스윽
트라이앵글 투!!
신준섭에 강백호!!
와아아
홍익현에게 송태섭을 붙여 둘 다 묶어둘 작전이다!!
안선생님…
진짜 저희들을 이겨볼 생각입니까 …?
음

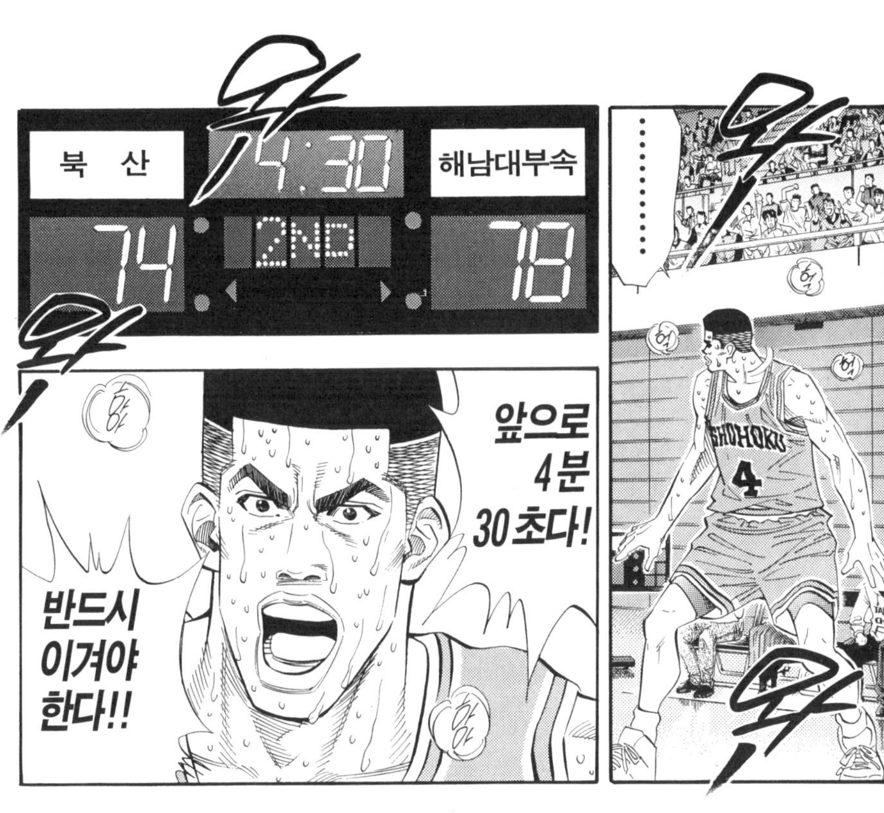
와
북 산
4:30
해남대부속
74
2ND
78
와
......
와
헉
헉
헉
와
앞으로
4분
30초다!
반드시
이겨야
한다!!
하아
하아

하아
하아
네엣!!
하아
그래!!
하아
하아
하아
당연하지!!
하아
하아
하아

디펜스!!
디펜스!!
수비ㅡㅡ!!
디펜스ㅡㅡ!!
디펜스!!
KAINAN
4

골밑이
3명이라
조금 뚫기
쉬워졌어!!
이정환!!
그렇겐
안돼!!

!?
우오

타앗

아니!!
전호장!!

이걸로 끝장이다!
아ー앗!
RYONAN
10

아직 멀었어!!!
왁
우왓!!

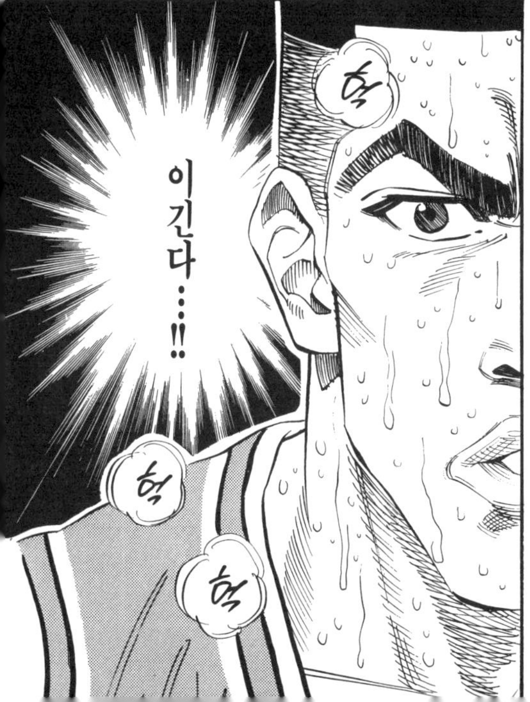

11 SLAM DUNK(完)

10.000.000년 일러!
화르르
뜨거워!!
우앗

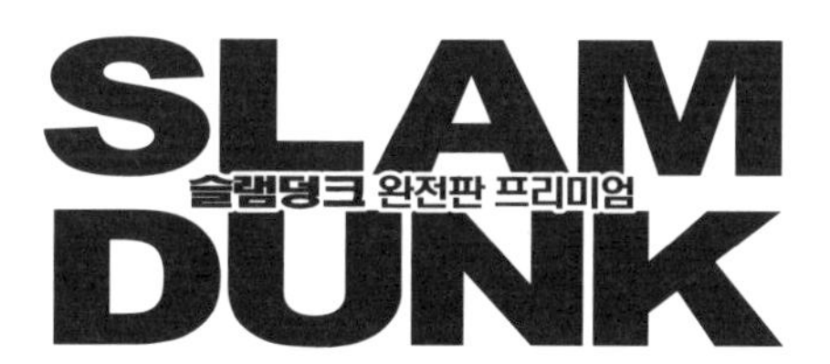
SLAM
슬램덩크 완전판 프리미엄
DUNK

슬램덩크 완전판 프리미엄 11

2007년 9월 23일 1판 1쇄 발행 2023년 2월 14일 2판 3쇄 발행

•

저자 …… TAKEHIKO INOUE

•

발행인 : 황민호
콘텐츠1사업본부장 : 이봉석
책임편집 : 김정택/장숙희
발행처 : 대원씨아이(주)

•

서울특별시 용산구 한강대로 15길 9-12
전화 : 2071-2000 FAX : 797-1023
1992년 5월 11일 등록 제 1992-000026호

•

•

ISBN 979-11-6944-806-2 07830
ISBN 979-11-6944-793-5 (세트)

•